Paul Thiès

Louis Alloing

Plandaí Ocracha

AN BOLG LÁN

Caibidil 1

Cácaí nó Bláthanna?

Bíonn an-saol ag foghlaithe mara beaga. Ní théann siad ar scoil, bíonn siad ag snámh ar feadh na bliana, agus itheann siad siorc rósta ar an Domhnach.

Ach... ní bhíonn an saol chomh

maith sin acu i gcónaí! Cuir i gcás Cleite, mac an Chaptaein Plúr, tá sé caillte le tuirse ó saolaíodh beirt deirfiúracha leis, Sodóg agus Bonnóg.

Is é Caiscín an t-ainm ceart atá ar Chleite. Tugtar Cleite air mar go bhfuil sé beagáinín tanaí. Ainmneacha cácaí atá ar na páistí ar fad, tigh Phlúir. Tá Bairín ann agus Toirtín, agus Éclair atá bliain níos óige ná Cleite, agus anois Sodóg agus Bonnóg, an dá leathchúpla a saolaíodh ar an *mBolg Lán*, long an Chaptaein Plúr.

Ar dtús, bhí ríméad ar Chleite nuair a chonaic sé a bheirt deirfiúracha nua. Bhíodh sé ag spraoi leo, agus chuir-eadh sé dinglis iontu....

Ach, mar go raibh tuirse ar a mháthair, agus go raibh a athair ar an stiúir, fágadh obair na loinge ar fad faoi na páistí.

Ach, dar ndóigh, chaitheadh Toirtín a cuid ama le Juanito, buachaill loinge an *Bhoilg Láin* — bhí sí i ngrá leis!

Bhíodh Bairín ina chodladh sa ghunna ab ansa leis: ní bhíodh le feiceáil de ach a chosa. D'fhág sé sin Cleite agus Éclair ag glanadh na bhfataí, ag sciúradh na deice, agus ag deisiú na seolta i gcaitheamh an ama.

Bhí a gcuid cairde maithe, Crúca Beag (mac na bhfoghlaithe mara cáiliúla Féasóg Fhionn agus Caitlín an Choncair)

agus Péarla, iníon Rí na gCanablach, ag fanacht in éineacht leo ar an *mBolg Lán* ar feadh seachtaine, agus chabhraigh siad go mór leo. Maidir le Rísín, pearóid Chleite, Cócó, pearóid Phéarla, agus peata deilfe Chrúca Bhig, Flic-Flac (a chaitheadh an lá ag snámh timpeall na loinge), ba bheag an chabhair a bhí iontu siúd.

'Tá mé bréan de seo,' a dúirt Cleite.

'Tá, agus mise!' a dúirt Éclair.

Ba ghearr go dtiocfadh a gcuid seantuismitheoirí ar cuairt. Ghiorródh sé sin an lá dóibh.

Ba as an Eoraip a tháinig an dá mhamó agus dhaideo. Bhí bácús ag Daideo agus Mamó Plúr, mar a bhíodh ag an gCaptaen Plúr sula ndeachaigh sé sna foghlaithe mara. Agus bhí siopa bláthanna ag Daideo agus Mamó Mimosa, athair agus máthair Mhama.

Bhí croiméal breá ar Dhaideo Plúr agus bhí hata mór cosúil le cáca ar Mhamó Plúr. Bhí meigeall fada ar Dhaideo Mimosa, agus bhí hata dearg

cosúil le tiúilip ar a bhean, Matilda.

Rith na páistí chucu agus rug siad go léir barróg orthu.

Ach, faraor, níor réitigh na sean-tuismitheoirí rómhaith le chéile.

'Tá ár ngarpháistí an-chosúil linn féin,' a deireadh Mamó Plúr. 'Tá mo gháirese acu agus cluasa m'fhir céile.'

'Is fíor duit,' a deireadh Daideo Plúr.

'Ní fíor muis,' a d'fhreagródh Mamó Mimosa. 'Is é mo gháiresе atá acu agus cluasa m'fhir céilese!'

'Tá an ceart agat,' a deireadh Daideo Mimosa. 'Is cosúil le rósanna iad.'

'Feonn bláthanna,' a deireadh Daideo Plúr. 'Tá mo gharpháistíse chomh hálainn le cácaí beaga.'

'Cácaí!' a deireadh Mamó Mimosa. 'Tá mo gharpháistí bochta i ngreim ag placairí* ramhra!'

Ach, bhí na páistí go sásta ag oscailt a gcuid bronntanas. Thug Mamó agus Daideo Plúr leo go leor rudaí milse i mbairillí leac oighir: milseáin dhaite, maidí líric i gcruth crainn phailme, agus ualaigh taifí. Agus, mar gur breá le foghlaithe mara órchistí, bhí málaí lán le hairgead seacláide ann freisin.

Thug Mamó agus Daideo Mimosa leo roinnt plandaí ón Áise, agus síolta dearga i bpotaí cré.

'Fan go bhfeicfidh sibh,' a dúirt Daideo Mimosa. 'Nuair a fhásfaidh siad ní aithneoidh sibh bhur long níos mó!'

'Beidh *An Bolg Lán* ar cheann de na longa seoil is deise ar Mhuir Chairib,' a dúirt Mamó Mimosa, agus leag sí na potaí go cúramach timpeall ar an gcrann seoil mór.

An tráthnóna sin, sheas Cleite tamall faoin gcrann mór ag ithe taifí. Meas tú, a dúirt sé leis féin, cén chuma a bheidh ar na bláthanna agus ar na torthaí a d'fhásfadh sna potaí sin.

Agus iad ar cuairt ar an *mBolg Lán*, tugann seantuismitheoirí Chleite milseáin agus plandaí mistéireacha chucu.

Caibidil 2

Faoi ionsaí ag plandaí!

Faraor, ní raibh mórán cleachtaidh ag Muintir Mhimosa ná ag Muintir Phlúir ar aeráid Mhuir Chairib. Ar maidin, bhí milseáin na bpáistí leáite.

Ach ba iad na plandaí ba mheasa! Bhí na síolta ón tSín imithe ó smacht. D'fhás siad chomh mór san oíche go raibh *An Bolg Lán* clúdaithe acu! Bhí fréamhacha ag fás faoin deic. Bhí géaga lúbtha thart ar na crainn seoil, agus craobhacha fásta chomh hard leis an gcrannóg.

Bhí na foghlaithe mara féin i ngreim ag na géaga fada deilgneacha.

Bhí an Captaen Plúr agus Mama ceangailte den stiúir acu. Bhí lámha is cosa Bhairín ceangailte agus ní raibh sé in ann teacht amach as an ngunna mór a raibh sé ina chodladh ann. Ní raibh le feiceáil de ach an dá chois a bhí ag gobadh amach as béal an ghunna!

Bhí foireann an *Bhoilg Láin* i dtrioblóid. Ní raibh in ann troid ach na seantuismitheoirí.

Thóg Daideo Plúr forc i láimh amháin agus scian mhór sa láimh eile. Nuair a thagadh sé ar ghéag ghearradh sé í mar a dhéanfá le hispín! Thóg Mamó Plúr dhá fhriochtán as an gcistin, agus ... Plab! ... bhain sí na bachlóga* de na géaga, agus rinne sí pancóga díobh!

Sháigh Daideo Mimosa na fréamhacha le muirgha.* Bhí sé sin deacair air, mar bhí an-tóir aige ar phlandaí. Chuir sé sin ag caoineadh é, agus tháinig Mamó Mimosa ina dhiaidh le ciarsúr leis na deora a thriomú dó.

Ach bhí an iomarca plandaí ann agus, tar éis tamaill, ba ghearr go raibh na seantuismitheoirí ceangailte freisin.

Bhí Cleite, Éclair, Péarla agus Crúca

Beag crochta óna gcosa as na plandaí agus iad á gcroitheadh ó thaobh go taobh.

'Céard a tharlóidh dúinn?' a d'fhiafraigh Cleite go scanraithe.

'D'fhéadfadh muid fanacht go bhfeonn na plandaí?' a mhol Crúca Beag.

'B'fhéidir go dtiocfaidh longa eile i gcabhair orainn?' a dúirt Péarla.

Ach bhí an scéal ag éirí níos measa. Thosaigh bláthanna móra aisteacha ag fás ar ghéaga na bplandaí. Bhí na bláthanna chomh dearg le fuil agus bhí peitil mhóra orthu cosúil le liopaí....

Tá plandaí móra bagracha tar éis greim a fháil ar an long agus tá an fhoireann i ngreim ina ngéaga.

Caibidil 3

Bláthanna feoilsúiteacha

'Tá siad cosúil le ... le plandaí a itheann daoine...' a deir Cleite leis féin go himníoch.

'Tá,' a dúirt Péarla. 'Plandaí feoilsúiteacha.' Bhí eolas ag Péarla ar a leithéidí

— bhain sí le treibh chanablach.

'Ní fhéadfadh sé!' a dúirt Cleite go scanraithe.

Bhí na bláthanna ag fás níos mó. Leath siad ar fud na deice, timpeall ar

na ráillí, in airde ar na seolta, go raibh gach cúinne den long clúdaithe acu.

'A Dheaide,' a bhéic Mama Plúr. 'Cé as ar tháinig na plandaí seo?'

'Ní thuigimse tada,' a dúirt Daideo Mimosa. 'Cheannaigh mise na síolta ó mháirnéalach Síneach a bhí ag dul thar bráid.'

'Ó! A dhiabhail! Íosfaidh siad muid ar fad,' a dúirt Crúca Beag go faiteach.

'Tar éis mo shaol a chaitheamh ag bácáil,' a dúirt Daideo Plúr go brónach, 'anois íosfar mé mar a dhéanfaí le cáca beag!'

Bhí imní ar Chleite. Ní raibh sé in ann bealach ar bith éalaithe a fheiceáil.

Os comhair a dhá shúil bhí na plandaí ag méadú. Ba ghearr go mbeidís chomh mór is go slogfaidís

leathchloch fhataí, liamháis … nó fiú, foghlaí mara beag!

D'éalaigh Rísín agus Cócó isteach sa chistin, rug siad leo cúpla piobar mór dearg ina ngob, agus chaith siad leis na bláthanna iad. Thosaigh na plandaí ag sraothairt chomh mór sin gur thosaigh na peitil ag titim díobh.

Scaoileadh na géaga ar éigean, agus d'éirigh leis na príosúnaigh ba lú, Cleite, Péarla, Éclair agus Crúca Beag, éalú óna ngreim.

'Go beo!' a bhéic Cleite. 'Scaoilfimid Deaide saor!'

Ach, go feargach, d'fháisc na plandaí a ngreim arís ar na príosúnaigh. Níorbh fhéidir na géaga a scaoileadh.

'Céard a dhéanfaimid?' a dúirt Éclair.

'Caithfimid cabhair a fháil,' a dúirt Crúca Beag.

'Ach cé a chabhródh linn?' a d'fhiafraigh Péarla de.

'D'athair, Rí na gCanablach,' a dúirt

Cleite. 'Is saineolaí é ar na rudaí seo, nach ea?'

'Ná cuimhnigh air, fiú!' a bhéic Daideo Plúr. 'Tá na canablaigh sin fiáin! Itheann siad daoine amh! Agus ní itheann siad cácaí!'

'Ná tugaigí aon aird air,' a dúirt Daideo Mimosa. 'Tá súil agam go n-íosfaidh siad beo é! Tabharfaidh mise peirsil agus oinniúin dóibh.'

Lig Cleite osna as. Bhí an dá dhaideo

i gcónaí ag troid! Ach bhí an t-am ag éirí gann....

'Déanaimis deifir!' a bhéic sé. 'Tá an planda lag anois, ach is gearr go dtosóidh sé ag fás arís, agus íosfaidh sé muid ar fad!'

'Fág seo!' a deir Éclair.

Chaith Rísín agus Cócó tuilleadh piobair leis an bplanda, agus léim na páistí as an mbád agus tháinig siad anuas ar dhroim Flic-Flac.

Tagtha saor le cabhair na bpearóidí, imíonn na páistí ag iarraidh cúnaimh ó na canablaigh.

Caibidil 4

Oileán na gCanablach

Shnámh Flic-Flac ar a mhíle dícheall, agus ba ghearr gur bhain sé Oileán na gCanablach amach.

Léim na páistí dá dhroim agus tháinig siad anuas ar an trá.

Sa bhaile beag, chonaic na páistí athair Phéarla, an Rí Kúrí, ríshlat* ina láimh aige, agus an bhanríon Coireála, agus bráisléad agus fáinní coiréil uirthi.

Phóg Péarla a hathair agus a máthair. Fad is a bhí an scéal á mhíniú aici dóibh, thug Cleite, Éclair, agus Crúca Beag cuairt ar bhaile na gCanablach. Bhí srutháin bheaga agus iomairí glasraí i ngach áit mar bhí an-tóir ag an Rí Kúrí ar anraith glasraí, agus d'íosadh sé é sin le gach béile. Bhí crainn bhananaí ann freisin, leapacha luascáin ceangailte de na crainn, tithe a raibh díon pailme orthu agus … agus potaí móra millteacha i ngach áit.

'Hmmmm, ní maith liom iad sin,' a dúirt Éclair go neirbhíseach.

'Ná bíodh imní ort,' a dúirt Crúca

Beag. 'Ní itheann siad daoine níos mó, ó mhúin athair Phéarla dóibh le hanraith glasraí a ithe.'

'Agus céard faoi siúd?' a d'fhiafraigh Éclair de, agus shín sí a méar le sean-chanablach a bhí ag cuimilt a theanga dá fhiacla agus é ag faire orthu.

'Niam-niam,' arsa an canablach leis féin, agus uisce lena chuid fiacla aige.

Lena mhaide siúil, rinne sé deifir i dtreo na bpáistí.

Chuaigh na foghlaithe mara óga i bhfolach taobh thiar de phota mór agus iad

ar creathadh le faitíos. Tháinig Péarla agus an Rí Kúrí chucu de rith.

'A Dhaideo Krúc, céard atá ar bun agat!' a dúirt Péarla go crosta.

'A Dheaide, nach bhfuil náire ar bith ort?' a dúirt an Rí Kúrí. 'Níl tú ag iarraidh cairde Phéarla a ithe, an bhfuil?'

Rinne an seanfhear gnúsacht agus d'imigh sé leis.

'Caithfimid a bheith aireach ar sheanaithreacha,' a dúirt Cleite.

'Déanaigí deifir,' a dúirt an Rí Kúrí. 'Tá bealach agamsa le stop a chur leis na plandaí feoilsúiteacha!'

Lean na páistí an Rí agus a chuid canablach go dtí na curacha ar an trá, agus d'imigh siad leo ag iomramh i dtreo an *Bhoilg Láin*. Bhí Flic-Flac ag snámh chun tosaigh orthu.

Ina láimh ag an Rí, bhí dhá mhála mhóra gharbha.

'Céard atá ansin agat?' a d'fhiafraigh Cleite de.

'Is gearr go bhfeicfidh tú,' a d'fhreagair an Rí go rúnda.

Tá bealach faighte ag Rí na gCanablach chun na plandaí a stopadh. Ach caithfear deifir a dhéanamh!

Caibidil 5

Gach rud ina Cheart!

Nuair a tháinig na curacha chomh fada leis an *mBolg Lán,* bhí Rísín agus Cócó ag eitilt i ngach treo. Ní raibh mórán piobair dheirg fanta acu!

Thug ceann de na bláthanna na

curacha faoi deara, agus theann sé níos gaire dóibh le greim a bhreith orthu. Bhí faitíos ar Chleite go mbeadh sé slogtha acu, ach thóg Péarla scian mhór a hathar agus CRAIC! Bhain sí an ceann den bhláth.

'Grá mo chroí thú, a stór!' a bhéic an Rí Kúrí. 'Nach trua gur feoilséantóirí* muid — dhéanfá an-chanablach go deo!'

Ghlaoigh sé ar na pearóidí agus thug sé orduithe dóibh i dteanga na gcanablach. Thóg an dá éan mála ina ngob agus d'eitil siad in airde san aer. Os cionn na loinge, lig siad na málaí as a ngob. D'oscail na málaí agus scaipeadh púdar dearg os cionn na loinge, os cionn na bplandaí … agus os cionn na bpríosúnach.

Piobar a bhí ann, piobar speisialta a thug an Rí leis ón Afraic. Bhí sé míle uair níos láidre ná na piobair dhearga! Baineadh an oiread creathaidh as na plandaí gur thit na peitil ar fad díobh. Lúb na dealga, bhris na géagáin, agus thriomaigh na fréamhacha. Bhí na plandaí ag fáil bháis!

'Aitsiúm! Aitsiúm! Plandaí bréana! Tá an ghráin agam ar chrainn agus ar bhláthanna agus ar shíolta,' a dúirt Daideo Plúr go cantalach, agus é ag breathnú go feargach ar Dhaideo Mimosa.

'Muise!' a dúirt Daideo Mimosa. 'Ní tharlódh sé seo ar chor ar bith dá mba dhaoine sibhialta a bhí i Muintir Phlúir in áit a bheith ag.... Aitsiúm! ... ag foghlaíocht ar an bhfarraige!'

Ba ghearr go raibh an dá dhaideo ag bagairt ar a chéile! Thosaigh an dá mhamó ag screadach.

Bhuail smaoineamh Cleite. Rith sé go dtí an cliabhán, agus thug sé leis an dá pháiste. Leag sé Bonnóg i mbaclainn Dhaideo Plúr agus Sodóg i mbaclainn

Dhaideo Mimosa. Bhí na leanaí ag gáire, agus ba ghearr go raibh an dá dhaideo ag gáire. Bhí siad ina gcairde anois. Nach é Cleite a bhí cliste!

'Nach í atá slachtmhar!' a dúirt Mamó Mimosa agus í á pógadh ar an leiceann deas. 'Is tú mo phictiúr féin!'

'Is í mo phictiúrsa í!' a dúirt Mamó Plúr, á pógadh ar an leiceann clé.

Nuair a bhí siad saor, ghlac an Captaen Plúr buíochas leis an Rí Kúrí.

Thug an Rí cuireadh dóibh saoire a chaitheamh ar a oileán. Bhí ríméad ar Phéarla! Bheadh Cleite aici di féin!

'Fan go bhfeicfidh tú,' a dúirt sí leis. 'Is é m'oileánsa an t-oileán is deise ar domhan ... ó stopamar ag ithe turasóirí!'

Sna laethanta ina dhiaidh sin, bhí na páistí ag luí ar an trá, ag iascaireacht sna cuanta, ag dreapadh sna crainn, agus ag ithe go leor bananaí.

Ach, oíche amháin, tháinig siad ar Dhaideo Plúr, ar Dhaideo Mimosa, agus ar shean-Khrúc cruinnithe timpeall ar an bpota ba mhó ar an mbaile. Bhí anraith aisteach á mheascadh acu.

'Is breá liom oidis nua a thriail,' a

dúirt Daideo Plúr. 'Sílim go dtéann subh ochtapais agus anlann toirtíse an-mhaith le chéile.'

'Gan trácht ar na síolta feoilsúiteacha sin,' a dúirt Daideo Mimosa.

'Ah ... faraor nach féidir cúpla cloigeann a chur ann!' a dúirt Krúc.

'Ó, a dhiabhail,' a dúirt Cleite. 'Níor mhór súil a choinneáil ar na seanaithreacha sin!'

1 An tÚdar

I Strasbourg i 1958 a rugadh **Paul Thiès**. Agus ní faoi chabáiste a tháinig sé ar an saol, ach faoi chrann seoil. Taistealaí mór é Paul Thiès. Tá na seacht bhfarraige agus na cúig mhuir seolta aige. Tá taisteal déanta aige ar ghaileon Airgintíneach, ar charbhal Spáinneach, ar shiunc Seapáineach, ar shiaganda Veiniséalach, agus ar ghaileon órga Meicsiceach — gan trácht ar bháidíní aeraíochta na Seine i bPáras, ná ar thrálaeir na Briotáine. Saineolaí é ar fhoghlaithe mara, ar mhairnéalaigh, ar bhráithreachas an chósta, agus go deimhin ar fhánaithe de gach uile chineál. Ach is é Cleite is ansa leis.

Mar sin, bon voyage agus gach uile dhuine ar deic!

2 An tEalaíontóir

Louis Alloing

"Bhí an fharraige os comhair mo dhá shúl i gcaitheamh mo shaoil. I Rabat i Maracó ó 1955, agus ansin i Marseille na Fraince, nuair a bhreathnaigh mé amach ar an Meánmhuir chuimhneoinn ar oileáin bheaga, ar thonnta beaga, ar fhoghlaithe mara beaga — agus ar bholadh breá an tsáile. Díreach cosúil leis an Muir Chairib, agus le farraigí Chleite agus Phéarla.

Anois i bPáras, scoite amach ó sholas na Meánmhara agus ó dhromchla gorm na farraige, bím ag tarraingt pictiúr ar pháipéar. Ligim do thonnta na samhlaíochta mé a thabhairt ar lorg Chleite is a chomrádaithe. Níl sé éasca, bíonn siad de shíor ag gluaiseacht! Obair mhór iad a leanúint, agus mé i ngreim i mo pheann mar a bheadh Cleite i ngreim ina chlaíomh. Eachtra mhór le foghlaithe mara beaga!"

Clár